BOUQUETS
insolites

Je remercie mon éditeur
pour la confiance totale
qu'il m'a faite. Christian,
pour avoir été fidèle à
la parole donnée, pour
le temps passé, pour
son amitié solide et
son immense talent et
toute son équipe pour
sa gentillesse.
Laurence Madrelle et
son équipe pour la mise
en page superbe.
Mon frère, ma belle-
sœur et tous mes amis
pour leur présence
chaleureuse. Mes filles
pour le temps pris sur
leur temps. Et tous ceux
qui m'ont encouragée

dans cette aventure.
Je remercie surtout
tous ceux qui, en ouvrant
leur maison ou par
le prêt d'objets, m'ont
aidée à donner une âme
à ce livre :
Mme Camus
Eliakim
Mme Dominique Kieffer
M. et Mme O'Byrne
Mme Françoise Rousselin
pour
Canal Plus
M. Yves Taralon et
AnneVincent
Annick Clavier
Avant-Scène
Chine Japon
Christian Benais
Carole Jouffroy
David Hicks
Daum
Dîners en ville
Diva
Édition Limitée
Étamine
Fardis
Galerie Quartz
Galerie Maeght
Hugonet
Lalique
La Tuile à Loup
Les Impressions
Les Jardins imaginaires
M. Patrick O'Byrne
Shizuka
et Philippe Bonduele
pour sa connaissance
des végétaux.

conception graphique
L.M. communiquer
Laurence Madrelle
Marie-Paule Galiana
assistées de Jocelyn Mingot.

BOUQUETS
insolites

concept, stylisme et textes
Chris O'Byrne

bouquets
Christian Tortu

photos
Gilles de Chabaneix

ÉDITIONS DU CHÊNE

à François, Johanna et Briddie

Il existe mille et une façons de faire des bouquets, et pourtant l'art floral reste trop souvent classique. Ce livre est une invitation à porter un autre regard sur les possibilités étonnantes que nous offre le monde végétal avec sa multitude d'espèces où couleurs et formes se déclinent à l'infini.

Depuis toujours, j'aime mélanger aux fruits et aux objets de la maison les fleurs cueillies au hasard des promenades, sable, coquillages, galets et bois rapportés de voyage. De cette habitude est née l'envie de faire un livre. Il y a quelques années, j'avais été frappée et séduite par les compositions audacieuses de Christian Tortu. Ce jeune fleuriste, récemment installé à Paris, apportait enfin un souffle nouveau à l'art floral. Je lui demandai alors de créer pour des photos des bouquets faits de fruits, de légumes et de fleurs à la manière d'Arcimboldo... Imaginer les formes, trouver les végétaux et mélanger les variétés nous avait donné un tel plaisir que je lui proposai de participer à mon projet. Nul autre mieux que lui ne pouvait comprendre ce que j'imaginais. Nous partagions le même goût de l'imprévu, le même sens de l'humour des associations et des accumulations, et une certaine poésie. De plus, nous étions convaincus l'un et l'autre qu'un bouquet, reflet de la personnalité et de l'attention de celui qui l'a composé, ne doit pas être défini par une ambiance mais créer une atmosphère. Ensemble, nous avons pensé et composé les bouquets que vous trouverez au fil de ces pages et que Christian a réalisés avec tout son talent. Mais j'ai aussi tenu à en réaliser seule quelques-uns : néophyte en la matière, je souhaitais que le lecteur de ce livre se retrouve dans mes mains inexpertes. Nos bouquets, que Gilles de Chabaneix a photographiés avec toute sa sensibilité, vous surprendront souvent :

ils mêlent le thym, la mousse, les légumes aux fruits,
aux fleurs des champs et aux plantes précieuses.
Inspirés par les saisons, les émotions et les nostalgies,
d'une simplicité naïve ou d'une sophistication extrême,
ils jouent à la fois sur les couleurs, les parfums et
les formes, et, détail important, les contenants. Au vase
traditionnel viennent s'ajouter aujourd'hui les vases
sculptés et tous ceux que l'on peut improviser soi-même
avec trois fois rien, un peu de temps et d'imagination,
en habillant de tissus, de feuilles ou de mousse, verres,
seaux et récipients en terre ou en métal
Vous trouverez aussi mille idées pour réaliser des bouquets
différents et les techniques pour bien les réussir.
Comme nous, inventez, osez mélanger,
créer l'insolite et vous vous surprendrez
d'avoir franchi les limites de l'habitude
et d'y avoir pris un réel plaisir.

Chris O'Byrne

Pour moi, faire des bouquets a toujours été un acte de plaisir en même temps qu'une manière d'être, de vivre. Le jour où j'ai décidé d'en faire mon métier, il fallait en même temps accepter de montrer des choses que certains considèrent comme très personnelles. Le fait qu'on ait bien accueilli ma démarche m'a procuré encore plus de plaisir et c'est donc sans aucune timidité que j'ai accepté de me dévoiler encore un peu à travers ces bouquets.

Comme tout dans la vie, ce livre est le résultat d'une rencontre. D'abord avec Chris O'Byrne, qui, la première, a eu l'idée de rassembler des bouquets simples mais insolites. Sa sensibilité aux choses de la nature en faisait une complice idéale. Avec Gilles de Chabaneix ensuite, qui a apporté un regard différent et a su renforcer l'idée que nous avions de ces images et leur donner plus de vérité.

Loin des techniques de l'art floral académique, ce livre n'a aucune volonté pédagogique. Partant de quelques recettes simples et à la portée de tous, je souhaite simplement qu'il suscite des envies et qu'il rassure aussi le plus grand nombre d'entre vous, en montrant qu'avec trois fois rien mais beaucoup de sensibilité chacun peut faire des bouquets merveilleux. S'il fallait qu'il apporte un message, ce serait de dire qu'il n'y a pas de meilleur maître que la nature elle-même. C'est en la regardant vivre, en l'aimant et la respectant, que vous parviendrez à composer des bouquets qui soient le reflet fidèle de l'évocation du monde végétal. Car enfin, disposer fleurs et feuillages dans un vase, n'est-ce pas tout simplement faire entrer la nature dans la maison ?

Christian Tortu

couleurs

Bleu intense, bleu violacé, bleu de Prusse ou bleu nuit, bleus infinis, ont été déclinés dans la monochromie dense d'un bouquet rond. La couleur bleu Klein du vase accentue la force du bouquet.

campanules
bleuets
véroniques
tritélias centaurées

cannes à sucre
tulipes
iris de jardin
renoncules
mousse
tangerines
kumquats

Harmonie
de jaune d'or et
d'orange pour
ce bouquet dense
et original.
Les fleurs ont été
piquées dans
une mousse
synthétique placée
au cœur
du panier tressé.
Des oranges
couronnent
le panier et
servent de base
à cet éclatement
de tulipes mêlées
aux renoncules et
à des iris de jardin.
Quelques branches
de troène donnent
une touche
de vert, tandis que
les cannes à sucre
posées à
l'horizontale
tranchent avec
la rondeur de
la composition.

« **O**n peut être chauffés, pour fondre ces ors-là, et ces tons de fleurs, le premier venu ne le peut pas. Il faut l'énergie et l'attention d'un individu tout entier... »
Vincent Van Gogh
Lettres à Théo.

Bouquet éclatant de tournesols, allégé par quelques branches de fenouil.

tournesols

fenouil

**pensées
jonquilles
asparagus
ornithogales**

La corbeille ovale
de style Napoléon III
se prêtait à
une composition
de fleurs variées.
Printanières,
les jonquilles
se mêlent aux pensées
et aux ornithogales
entourés d'asparagus
touffu. Présentée dans
une jardinière en terre
cuite émaillée,
en métal argenté ou
en tôle peinte,
cette composition sera
également réussie si
l'on veille à choisir
des fleurs courtes
aux pétales très
fournis et en mariant
harmonieusement
les couleurs. On peut
jouer avec les crocus
et les primevères,
mélanger jacinthes,
iris de jardin et lilas
blancs, coupés très
haut, ou jacinthes et
anémones bleues.
L'asparagus sera
toujours indispensable
pour étoffer
l'ensemble et bien
tenir les fleurs.

viburnum
renoncules
jacinthes
muscaris
achillées
narcisses
tulipes
angéliques
roses de Noël
mousse en plaque

L'harmonie
des couleurs a été
pensée en accord
avec celles de
la coupe
extraordinaire
qui est à elle seule
un décor.

choux-fleurs
boules-de-neige
côtes de blettes
champignons
de Paris
petits oignons
herbe de cebette
aubépine
tulipes blanches
feuilles de laurier

Les légumes savamment
disposés créent
une ambiance un peu
extraordinaire.
Cette nature morte
éphémère sera
une décoration insolite
à la campagne, ou
deviendra au contraire
le centre d'une table
sophistiquée parée
d'argenterie et de cristal.

On remplacera alors
les corbeilles en genêt
par des plats plus
recherchés. Les boules-
de-neige sont placées
dans des petits verres
autour des choux-fleurs.
La deuxième partie
de la composition,
plus difficile à réaliser,
consiste à créer
des volutes avec

des branches de blettes.
Mais relativement
fragiles, celles-ci doivent
être remplacées
très vite.

fleurs de marronnier
anémones

Ce bouquet de charme joue sur le contraste du vert cru des feuilles de marronnier et le blanc délicat de ces fleurs auxquelles on a ajouté quelques anémones.

Malheureusement, les fleurs de marronnier sont fragiles et devront être renouvelées. Les poteries rustiques mettent en valeur ce type de bouquet très simple.

La teinte passée
des roses
Charles de Gaulle
se marie
subtilement
au mauve des lilas
et des tulipes.
Ce bouquet
monochrome est
également très
parfumé,
car l'odeur suave
de ces roses
se combine
parfaitement à
celle des lilas.
La corbeille de fil
tressé a
une ouverture
suffisamment
large pour
permettre de faire
une composition
très étalée, qui lui
donne un faux air
Napoléon III...
Bouquet
romantique aux
senteurs exquises,
il pourrait aussi
être disposé dans
un vase plus
simple, ou
dans une coupe
en argent.

roses

Charles de Gaulle

lilas

tulipes

laurier

amarante
crête-de-coq
queue-de-renard
sedum
viburnum opulus

Dentelée comme
une crête-de-coq,
vibrante et
enflammée
comme une danse
espagnole,
l'amarante permet
des combinaisons
originales.
Elle fleurit de
juillet à octobre.
Ici, on a joué
la gamme
des pourpres et
des rouges
vermillon.
Bouquet boule
chatoyant, dans
lequel l'amarante
précieuse et
veloutée a été
associée à sa sœur,
plus sauvage.

salade romaine
chou rouge
artichauts
aubergines
prunes
iris noirs
figues
sucrine
asperges
asparagus
tomates
persil

Nature morte de légumes accumulés dans un saladier de faïence, cette décoration joue sur la couleur pourpre déclinée dans un camaïeu recherché mais facile à imaginer avec les fruits et légumes de l'été. Posé sur un boutis provençal, le bouquet au charme rustique évoque les marchés du sud de la France. Amusant dans une salle à manger, il est aussi étonnant pour un centre de table dans un jardin.

tulipes de Hollande

La multitude
de tulipes déclinées
du rose fuchsia
au rouge carminé
donne un résultat
superbe. Ce bouquet
demande une grande
quantité de tulipes
du fait de la large
ouverture de la coupe
et de la densité
de la composition
(les tulipes doivent
être très tassées).
S'il revient donc assez
cher, il dure
longtemps. On peut
obtenir le même effet
dans une coupe plus
petite, et imaginer
un dégradé de jaune,
de blanc ou de rose
saumoné.

Bouquet boule
d'anémones
épanouies
parsemé de
quelques branches
de lierre, liées
par des brins
de raphia.
Les tiges ont été
égalisées et
permettent
au bouquet de
tenir tout seul.
Avant de
le déposer dans
un vase,
nous l'avons
photographié dans
l'encadrement
d'un miroir
barbare à pointes
de diamant qui
contraste avec
la délicatesse
des fleurs.

anémones
lierre panaché

dahlias
zinnias

Petit bouquet très simple
et monochrome, où seules
quelques feuilles vertes
se détachent des dahlias et
zinnias orange. La réussite
de cette composition tient
à sa forme recherchée.
Une branche s'élance,
quelques fleurs
se balancent au bout de
leur tige. Le vase carré
permet une composition
touffue. Les deux espèces
de fleurs existant dans
une belle gamme
de couleurs, il est facile de
varier à l'infini. Le dahlia a
une durée de vie assez
courte et perd ses pétales ;
le zinnia, aux tiges fragiles,
doit être manipulé
avec précaution.

parfums

narcisses

Jeux de
colin-maillard
autour de l'arbre
de narcisses.
Le vase est ici
exceptionnel.
L'idée de garder
les narcisses hauts
sur leur tige et
de les installer
bien denses dans
un cache-pot peut
être reprise avec
un contenant droit
plus simple.

**fenouil
romarin
lavande**

Parti pris de
simplicité pour
cette composition
de plantes
aromatiques qui
fleurent bon
la Provence.
Le décor,
constitué
d'un canotier,
d'une corbeille
de paille et
d'une jarre en
terre cuite,
souligne
l'atmosphère
fraîche et
nostalgique
du bouquet.

La matière brute des racines tressées met en valeur la finesse de la lavande fraîchement cueillie. Il faut détacher les fleurs et les aligner au même niveau avant de les placer dans la corbeille. Même séchée, la lavande reste belle et dispense des senteurs délicates.

iris
jacinthes
freesias
pois de senteur
prêle
pin
graminées
fleurs de carottes

Dans le panier de fils torsadés, les verres sont enroulés dans des feuilles d'iris. Quelques pois de senteur au dessin subtil. Une branche de pin donne la note des verts dans cette harmonie de blancs. Une jacinthe blanche et un iris transparent sont délicatement posés dans le panier, d'où s'envolent quelques branches de graminées.

asperges violettes
aneth
ciboulette
artichauts
fleurs d'ail
estragon
ornithogale
menthe

Dans l'égouttoir
provençal en faïence
vernissée, les
senteurs d'herbes
aromatisées se mêlent
aux légumes.
Quelques fleurs
aux pétales étoilés
ponctuent
la composition.

eucalyptus

Au Maroc,
les forêts
d'eucalyptus
envahissent
l'intérieur des
terres et les bords
de mer, mêlant
aux odeurs de sel
les senteurs épicées
de leurs feuilles
vert-de-gris.
Des bottes de
différentes variétés
d'eucalyptus,
recomposées ici
dans un simple
seau en zinc,
évoquent
des souvenirs
d'enfance ou
de voyage. Le seau
du fleuriste garde
au bouquet
robuste
toute sa simplicité
et s'accorde
parfaitement avec
la retombée
naturelle
des branches.

cannelle
anis étoilé
pommes de pin
de l'île Maurice
cuir naturel

Aromates venus
des Îles, bâtonnets
enroulés d'or et
cosses enchevêtrées
se glissent dans
les plis du cuir.
Cette composition
aux teintes cuivrées
joue sur l'association
inhabituelle d'odeurs
fortes et exotiques,
celles de l'anis et
de la cannelle,
celles du cuir tanné et
du bois ciré, celles
aussi des pommes
de pin.

baies
jasmin blanc
baies de fusain
du Japon
feuilles de rosiers

Une cascade de fleurs
légères et éclatées à
la fragrance sublime
s'échappe de la coupe
de verre sablé.
Pour cet ensemble,
trois jasmins ont été
plantés dans la coupe.
On peut les mettre
également dans
un cache-pot, mais
il faut veiller à ne pas
pourrir les racines
par des arrosages trop
fréquents.
Les plants tiennent
très longtemps et
fleurissent de
novembre à février en
intérieur. On a glissé
une note de rouge,
en y ajoutant
quelques branches
de baies.

iris de jardin
scilles
lilas
tulipes noires
pittosporum

Associer toutes
ces fleurs
aux parfums
entêtants était
une gageure.
L'important
résidait aussi dans
le mariage
des couleurs.
Le vase en verre
transparent rouge
rubis laisse
apercevoir
les tiges. La même
composition,
déclinée dans
la gamme
des blancs, sera
superbe sur
un buffet de fête.

Raffinement extrême, dans un chassé-croisé de fleurs précieuses, le parfum du lis, découpé comme une étoile de mer, se laisse dominer par celui de trois tubéreuses à l'arôme pénétrant. Les lotus sont à fleur d'eau dans la coupe de cristal nervuré qui laisse apparaître les veines du granit. La coupe étant très évasée, il a fallu fabriquer un pique-fleurs de fortune, en faisant un treillis de petits branchages qui retient ces quelques fleurs rares et très odoriférantes.

fleurs de lotus

lis Casablanca

tubéreuses

graphiques

baies d'églantier
feuilles d'hosta
baies de fusain
d'Europe
branches de
pommier décoratif

Comme une toile
d'araignée,
les aubépines
emmêlées
se croisent et
s'entrecroisent.
Le vase est
gigantesque.
Seules
des branches
peuvent créer
cette structure
très graphique et
spectaculaire.
Au cœur
du bouquet,
quelques feuilles
placées en corolle
donnent une note
de vert.

Des branches
de baies sur
un poivron qui
sert de « vase »
exceptionnel mais
éphémère : il vivra
moins longtemps
que les baies qui
tiennent sans eau.
Cette idée pourra
être reprise avec
un poivron vert
garni de lierre ou
de fleurs d'un soir,
dans les tons de
bleu ou de rouge,
et servir de décor
de table individuel
à placer devant
chaque convive.

baies d'ilex
poivron

Équilibre dompté, les fleurs d'arum font la roue sur le triangle parfait d'un vase insolite. Décor d'un jour, fruits et fleurs d'arum s'intercalent sur les branches d'ombelles. On peut réaliser le bouquet de la même façon dans un vase long mais étroit, en faisant tremper les tiges dans l'eau et en posant les fruits entre chaque fleur sur les bords du vase.

Rigueur
architecturée
d'un bouquet
japonisant.
Le vase est droit,
ce qui permet
une composition
très verticale.
Les branches de
prêles s'élancent
en hauteur.
Les fleurs d'arums
panachés
s'épanouissent
gracieusement,
au-dessus
des feuilles
dentelées des
philodendrons.
Deux grenades
sont posées dans
le fond du vase.

prêles
feuilles
de philodendrons
arums panachés
fleur de rhubarbe
grenades

bouquets graphiques 61

réséda
branches
de peuplier,
de fougère
véroniques
blanches
molucelles

Balancement
harmonieux et
courbes
des branches
s'élançant du vase
barbare.
Dans un cas,
des véroniques
blanches se
faufilent entre
les branches
de peuplier,
les fougères et
les molucelles.
Dans le second
cas, les branches
jaillissent du vase,
et c'est lui qui est
en vedette.

**arums blancs
arums violets
panachés
fleurs
de rhubarbe**

Arums et fleurs
sont placés dans
un vase sculpté
dont l'encolure est
très évasée, mais
le fond resserré
permet de
maintenir
la composition.
Toute l'originalité
de ce bouquet
réside dans
la façon dont on a
utilisé les arums
groupés en
bouquet, et dans
la présence
des fleurs
de rhubarbe.

bouquets 65 graphiques

Eucharis et fleurs
d'ail jaillissent
comme un feu
d'artifice du vase
en terre sculpté.
On l'a couronné
de vert avec
une guirlande
d'euchomis
avant de piquer
les fleurs élancées.

Déclinaison des verts, galbes sensuels, sphères de mousse et boules d'argent scandent un univers de formes parfaitement placées. Cette nature morte réalisée avec des calebasses est destinée aux intérieurs clairs et contemporains. Les boules de mousse pourront être multipliées, montées en pyramide et servir de décor pour un buffet.

dattes
cactus
boules de mousse
calebasses

pommes starking

rhubarbe

orchidées

laelia

branche de pins

protéacées

Les pommes placées une à une dans le vase calent les branches d'orchidées et la rhubarbe. On a mis le minimum d'eau nécessaire aux fleurs pour éviter aux fruits de pourrir.

Les billes
de tomates
roulent dans
les ondulations
du vase.
Des bulbes ont été
noués sur
les petits bambous
installés sur
les bords du vase.

amaryllis

petites roses

tomates cerises

iris de jardin
bear grass

La forme de
cette paire
de vases nous a
donné l'idée de
la composition.
Les bouquets très
semblables sont
cependant créés
à des hauteurs
différentes.
Il en résulte
une impression
de mouvement
souligné par
le graphisme
des fleurs et
les courbes du
bear grass.
Ce style de
composition doit
être fait dans
des vases très
légèrement évasés.

feuillages

Savoir assembler
des feuillages est
tout un art.
Ici, le buis et
les touffes de
ronces se marient
bien aux feuilles
d'eucalyptus.
Les branches sont
coupées court et
la composition est
très horizontale
et compacte.
La jardinière en
terre vernissée crée
une atmosphère
champêtre.
Le même bouquet
aura une autre
allure si
l'on choisit
une jardinière
en tôle peinte ou
en métal, mais
il faudra garder
la forme ovale qui
met en valeur
la diversité
des feuillages.

ronces
buis
pittosporum
eucalyptus
en fleur
veltheimia

Foisonnement
d'herbes tendres
et de plantes
sauvages pour
un bouquet
dentelé.
La soupière
en argent disparaît
presque sous
la masse touffue et
l'enchevêtrement
des verts et
des gris.
La preuve est ainsi
donnée
qu'un simple
bouquet d'herbes
cueillies dans
le jardin peut être
élégant.

sauge
romarin
cinéraire maritime
armoise
santoline
protéacées
bruyère

arums verts
orchidées
feuilles
d'anthurium
fruits de lotus
spathes d'alginia
tetetifi
feuilles de palmier
découpées
leucadendrons
bulbines

Des feuillages exotiques s'élancent du vase droit en mélangeant leurs vert gris et sombre, où la fragile orchidée fait vibrer ses fleurs rares. Pour bien tenir les feuillages, il faut glisser quelques tiges coupées qui maintiendront les autres en place.

graminées
fruits de lotus
luzerne
sauge en fleur
alium christophii
épis d'ornithogale

Les volutes
du métal oxydé et
la rondeur
d'une terre cuite
se détachent sur
le fond hachuré
des stores.
La botte de
graminées ronde
et structurée
souligne ce décor
géométrique et
moderne.

Blés et lavandes sont entourés de raphia. Un contenant exceptionnel pour un bouquet composé avec humour. Il mêle laitues et persil à de petites bottes de pensées et de lavandes dispersées dans la masse des verts. Mais, à la place des fleurs bleues, il est possible d'opter pour des petites roses et des tomates cerises, ou des primevères et des jonquilles jaunes. Il faudra beaucoup de patience pour faire la corbeille... le tout peut aussi être déposé dans un joli cache-pot ou dans une corbeille de genêts.

laitues
persil
lavande
pensées

branches de
chêne,
d'olivier,
d'eucalyptus,
de tremble
graminées
avoine
asparagus
alchémille

La roche pigmentée
des terres
du Roussillon devient
ici le décor
exceptionnel
d'une composition
de branches
fraîchement cueillies.

gui
hortensias
ampélopsis

Une touffe de gui
sacré ponctuée
de trois boules
d'hortensias
couronne
la jardinière
filiforme.
Celle-ci, très fine
et ajourée, donne
à la composition
un souffle
particulier presque
lyrique encore
accentué par
le décor :
une pièce
abandonnée,
un tapis rouge et
un parterre
de feuilles
d'ampélopsis.

pains au sésame

pommes de pin

œufs durs

branches de pin

lierre

L'ovale lisse des œufs et
la rondeur des petits
pains s'intègrent sans
prétention à quelques
pommes de pin sur
un lit de feuilles de
lierre. Une composition
inattendue et drôle qui

peut être confectionnée
toute l'année.

ampélopsis
baies de troène
arums violets
vigne
boulestrier

Les petits pots de terre bien alignés sont prêts pour le bouturage, et la grande jarre aux rondeurs généreuses est remplie d'ampélopsis et d'arums violets déployés en éventail.

Tout endroit peut être prétexte à un bouquet. Les arums violets rendent celui-ci sophistiqué, alors que sa composition principale est faite de branches de vigne et

d'ampélopsis. Malgré la taille de la jarre en terre cuite, le bouquet, assez plat, garde des proportions normales.

graines de cassia

fagots d'ombelles

maïs

épices

branche

de genêt maritime

La jarre de terre
et le rideau
aux impressions
barbares
ont inspiré
cette nature morte
aux consonances
africaines.
Avec humour,
les cosses de cassia
ont été installées
en pyramide,
tandis que
quelques fleurs
sauvages sont
placées dans
la poterie.
Quelques petits
tas d'épices
colorées
contrebalancent
le bleu violent
du tissu.

papyrus
trompettes-de-
la-mort
prêles
feuilles exotiques

Mise en scène
africaine...
une promenade à
travers la brousse
a été reconstituée
avec les petites
statues d'ébène et
des végétaux
exotiques...

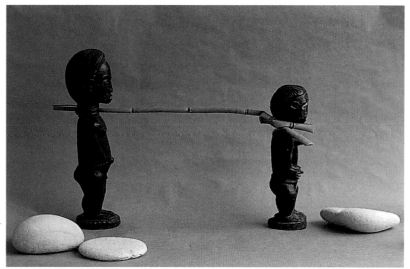

feuilles de nénuphar

pavots

tussilages japonais

feuilles

de sansevieria

Une gerbe de pavots graciles est retenue par une couronne de feuilles de nénuphar dans un vase de terre vernissée. L'ouverture de celui-ci étant très large, les feuilles retiennent les fleurs en leur centre, et leur vert sombre fait ressortir la monochromie des orangés.

fleurs d'anthurium
régime de bananes
papayes
cannes à sucre
grenadilles
grenades

Simplement
déposés sur
le marbre gris,
les fruits d'Afrique
donnent la note
des verts.

gardénias
coquillages

Les pétales blancs
et parfumés
des gardénias
se distinguent
à peine
des coquillages
amoncelés sur
un lit de sable
dans une coupe
de verre sablé.

fleurs
de gingembre
pavots
racines
de gingembre
dattes
osier en couronne
racines

Mélangés à deux
majestueuses fleurs
de gingembre,
les pavots
aux robes légères
semblent encore
plus fragiles et
gracieux.
Les fleurs ont été
disposées dans
un vase glissé dans
le panier tressé
japonais.
Une torsade
de joncs complète
ce bouquet
exotique.

L'oiseau s'était
envolé de la cage
comme dans
un poème
de Prévert.
Derrière
les barreaux
dessinés, on a
glissé trois petits
vases fleuris parmi
les branches
de lierre.

jacinthes

tulipes

renoncules

lierre

Le châle brodé
rapporté de Syrie
est prétexte à
une composition dans
un camaïeu de rouge
garance. Nature
« vivante » de fruits,
le voyage est dans
le fauteuil...

pommes starking
branches
de litchis
grenades
branches de skinia

fleurs de carnivore
poire
avocat
corossol
prêles

La théière japonaise
était posée sur
le meuble... alors,
comme dans
un tableau, fruits et
fleurs ont trouvé
leur place. La nature
morte s'orientalise.
Pour déguiser
les verres, on les a
habillés de prêles
sagement alignées et
liées de raphia. Avec
humour, on a déposé
poires et avocats
au milieu de
la composition.

page précédente :
amaryllis
roses rouges
avocats
asparagus
feuilles
de magnolia

ci-contre :
anémones
roses
branches de pin
et de baies d'ilex
amaryllis

Des branches
de pin et de baies
d'ilex remplacent
le houx pour
ce traditionnel
bouquet de Noël
vert et rouge.
Anémones et roses
intercalées
de feuillages sont
tassées en boule
dans une corbeille.

hortensias

brocolis

persil

feuilles de laurier

artichauts

boules-de-neige

mousse

ystérieux et profond,

 bleu des murs

rt d'écrin au

uquet de brocolis,

hortensias et

 persil, piqués

ns de la mousse.

a coupe est en terre

naillée. L'ensemble

ra un centre de table

ectaculaire.

tulipes
renoncules
mandarines
kumquats
roses
branches
de marronnie
boules de mousse

Une couronne
de mandarines
est coiffée
d'une multitude
de fleurs orangées
entrecoupées de
quelques feuilles
de kumquat.
Les fleurs ont été
placées par bottes
dans un vase
dissimulé par
la couronne
de fruits.

Fantaisie
surréaliste.
Le vase créé par
le peintre Dali
a été le point
de départ de
ce bouquet
théâtral cramoisi.
Prunes et raisins
sont déposés
au cœur
des amarantes à
la robe de velours
écarlate.
Cette fleur
toujours très
spectaculaire était
la plus appropriée
au style
du bouquet.
On a ajouté
une branche
d'aubépine pour
rappeler l'univers
torturé de l'artiste.
Dans une coupe
simple, le bouquet
apparaîtra certes
plus sobre, mais
gardera toujours
son côté
exceptionnel.

amarantes
crête-de-coq
tomates cerises
prunes quetsches
raisins noirs
aubépine

dahlias
branches de hêtre
lierre

Fête chromatique
des dahlias qui
rayonnent de teintes
automnales du grenat
aux ors somptueux.
La beauté du bouquet
est liée à cet éclat
des couleurs,
à la masse
impressionnante
des dahlias, mais aussi
à certains détails :
des branches de lierre
s'échappent du vase,
tandis que
quelques corolles
sont éparpillées
sur la table.
Son contenant habillé
de paille et noué
d'une grosse torsade
de raphia le rend plus
inhabituel encore.

arbre de Judée

iris de jardin

orchidée sauvage

buis

euphorbes

Les orchidées sauvages
ramassées autour
de la maison ont inspiré
ce mélange de violets et
de jaunes. Les iris
de jardin sont coupés
très court et enfoncés
dans une coupe émaillée
de mêmes couleurs que
celles de la composition.
Une branche d'arbre
de Judée s'élance
de ce bouquet joyeux
présenté sur un boutis
ensoleillé.

petites pommes
tomates cerises
feuilles de lierre
boules jaunes
piments verts
baies d'églantier

La pyramide de fruits
agrémente
cette élégante table
de soir d'été
aux réminiscences
très XVIIIᵉ siècle.
La composition
éphémère de baies et
de petites pommes
collées en spirale
autour d'un cône
spécialement préparé
est un décor très
original pour
un buffet de fête.

Comme dans un rêve, la théière d'un jour s'est vêtue de feuilles de rosiers, tandis que la tasse est garnie de pétales de roses collés un à un avec patience. Un bouton de rose est posé sur le couvercle et l'anse est faite d'une branche d'églantier.

roses
en branches
branches de vigne
lierre

Pour une occasion
exceptionnelle,
la statue sert
de décor floral.

Douces et charnues,
soyeuses et veloutées,
ces roses au parfum
troublant sont placées
dans des vases
de formes différentes
pour une composition
romantique. Un vase
boule à l'ouverture
étroite implique
un petit bouquet
rond, tandis que
l'autre, de forme
évasée, permet
une vaste
composition.
La coupe d'albâtre,
dans laquelle reposent
quelques pois
de senteur, fait le lien
entre les deux
bouquets.

roses
Madame Delbard
roses parme
roses Mamy Blue
roses jaunes
roses blanches
pois de senteur
amaryllis
branches de hêtre

les gestes du fleuriste

solidaster

boules-de-neige

anthriscus

achillées sauvages

fleurs de carotte

...amassées dans les champs ...u achetées chez le fleuriste, ...arguerites et boules-de- ...eige sont assemblées en ...n simple bouquet rond. ...près avoir sélectionné et ...ien étalé ces fleurs sur le plan ...e travail, défeuillez-les ...x trois quarts. Puis, dans ...ne main, assemblez les tiges ...ne à une en vrillant ...gèrement pour composer ...n bouquet rond. Il faut ...rendre soin de construire ... rondeur du bouquet au fur ... à mesure, en plaçant ...s têtes des fleurs au même ...veau en tournant. Lorsque ... bouquet est bien dense et ...ffisamment important, liez ...s tiges ensemble pour ... maintenir en boule. ...n lien de raphia noué sera ...ès décoratif. Puis vous ...uperez les tiges à la même ...ngueur avant de les mettre ...ns un vase qui aura ...e ouverture assez large. ...n vase rond sera ... plus adéquat.

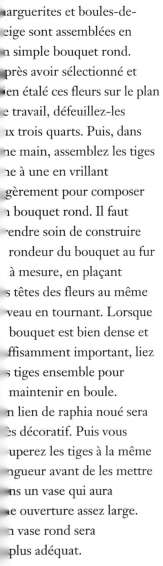

kakis

ananas

mangues

abricots secs

kumquats

prunes

raisin

lierre

boules de mousse

fruits de cacao

Pour cette composition
de fruits exotiques,
nous avons choisi
une coupe de fil de fer.
Après avoir entouré
les bords de la coupe
d'une guirlande
de lierre, des boules
de mousse intercalées
de mangues ont été
installées dans le fond
du contenant en laissant
dépasser légèrement
les fruits dans lesquels
on a piqué des bâtonnets
taillés en biseau.
À la base de l'ananas,
quatre petits bâtons
plantés dans la mousse
permettent de maintenir
le fruit bien droit
au centre de
la composition.
Les autres fruits,
préparés de la même
manière, seront piqués
dans l'ananas et dans
les mangues au gré
de votre imagination,
en intercalant prunes et
kumquats, autour
des kakis. La grappe
de raisin, seule touche
de violine, tranchera
dans cette harmonie
d'orangés. Terminez
en piquant quelques
feuilles de lierre.

viburnum

renoncules

jacinthes

muscaris

achillées

narcisses

tulipes

angéliques

roses de Noël

mousse

Nous avons choisi de décomposer pour vous un bouquet réalisé dans une coupe dont l'ouverture présente une certaine difficulté. Pour rehausser le bouquet, placez du papier de cellophane froissé dans le fond de la coupe, avant de la remplir d'eau. Puis, faites plusieurs petites bottes des fleurs choisies, que vous nouerez, par variété, avec du raphia. Regroupez-les au gré de votre fantaisie et en fonction des couleurs. Gardez bien les têtes de fleurs au même niveau et coupez les tiges à la même longueur. Prenez alors l'énorme botte formée par toutes les fleurs rassemblées et glissez-la d'un bloc dans la coupe préparée. Il suffira alors de la caler par quelques petits rouleaux de mousse plate que vous aurez ficelés au préalable et qui disparaîtront sous les fleurs. Piquez de-ci de-là quelques fleurs rares en harmonie avec l'ensemble. Ici, des roses de Noël.

les contenants

de gauche à droite :

Diva	Daum
Avant-scène	Olivier Gagnère
Diva	pour la galerie Maeght
Olivier Gagnère	Diva
pour la galerie Maeght	Carole Jouffroy
Eliakim	chez Avant-scène

Les contenants peuvent être déclinés à l'infini. Par tradition, pour faire des bouquets on choisit un vase, mais l'objet dévie, se transforme, se métamorphose, s'adapte ou s'habille. En terre, en verre, en argent ou en osier, le bouquet s'anoblit ou se démocratise en fonction de son contenant. Soupière, cache-pot, jarre, verres déguisés, volutes de métal ou paniers tressés, à vous de choisir ! N'oubliez pas cependant que le contenant impose toujours une certaine forme au bouquet, mais que paradoxalement, vous le choisirez en fonction des végétaux que vous achèterez ou qui vous seront offerts.

de gauche à droite :

Olivier Gagnère   Galerie Quartz

pour la galerie Maeght   Philippe Starck

Daum   pour Daum

Galerie Quartz   Hilton Mac Connico

Galerie Quartz   pour Daum

Un vase de forme ronde permet des bouquets boule et touffus dont le volume dépendra de l'orifice du vase, tandis que des vases droits imposent une forme en hauteur.

Pour éviter que le bouquet soit trop raide, utilisez des végétaux avec des tiges souples ou du « bear grass » très décoratif, qui le rendront plus étoffé. Le vase tulipe a une partie ventrue qui se resserre pour s'évaser à nouveau et permet aux fleurs de s'épanouir à leur guise tout en étant maintenues. Un vase en entonnoir demande beaucoup de fleurs, tandis que les vases droits et bas imposent des compositions avec des tiges courtes.

**Tous les paniers et
la poterie proviennent
de la Boutique
Christian Tortu**

**petit pot en terre :
Les Impressions**

Dans les paniers,
vous composerez
des bouquets champêtres
ou des mélanges
de fruits et fleurs.
N'oubliez pas d'isoler
vos paniers à l'aide
d'une feuille
de cellophane.
Vous placerez des blocs
de mousse synthétique
bien imbibés d'eau pour
que les végétaux ne
souffrent pas, ou
des récipients de verre si
la hauteur du panier le
permet.

Tous les contenants
sont des créations
de l'Atelier de
Christian Tortu

En dehors de vases traditionnels, n'hésitez pas à confectionner des contenants de fortune, et à improviser. Ils donneront un ton nouveau au moindre bouquet et vous permettront « d'inventer » par exemple des contenants géants pour des buffets ou des bouquets exceptionnels. Les uns pourront être habillés de feuilles de prêles, d'autres pourront être recouverts de mousse collée, drapés de tissu ou enveloppés dans de la paille nouée au raphia, d'autres enfin seront faits de rangées de fruits collés entre eux et montés en couronne sur deux ou plusieurs rangées... Les végétaux seront installés dans un récipient en verre placé à l'intérieur de la couronne.

de gauche à droite :

Boutique Christian Tortu **Boutique Christian Tortu**
Soupière Oudiot **Les Impressions**
Les Impressions **Boutique Christian Tortu**
Jardins imaginaires

Les cache-pots peuvent aussi servir de vase, mais leur ouverture très large rend les bouquets difficiles à réaliser : il est préférable de se servir d'un pique-fleurs ou de mousse synthétique. Dans les soupières, coupes ou saladiers, il faudra employer les mêmes ruses, alors que dans les jarres ou les très grands vases, on préférera des bouquets de grands branchages ou de feuillages rustiques simplement rehaussés de fleurs rares, et qui se tiendront entre eux grâce à l'entrelacs des tiges. Dans les grandes jarres, il faudra installer un simple contenant en plastique du même diamètre que l'ouverture mais plus petit, qui évitera de remplir la jarre d'eau.

Christian Tortu pour Quartz
Olivier Gagnère
pour la Galerie Maeght
A. Aalto chez Quartz

Shizuka
Galerie Quartz
Galerie Quartz
Shizuka

Galerie Quartz
Boutique Christian Tortu
Olivier Gagnère
pour la Galerie Maeght

Dans les vases en verre, vous pourrez difficilement vous servir d'un pique-fleurs ou de mousse synthétique car la transparence ne pardonne pas. Choisissez donc bien la forme de votre vase et si vous avez des difficultés à faire tenir vos fleurs, n'hésitez pas à tricher en entrecroisant des branchages ou en installant des tiges déjà coupées aux trois quarts, dans lesquelles vous glisserez celles de vos fleurs. Dernier recours, vous pourrez mettre du papier cellophane froissé dans le fond du vase ; il maintiendra les fleurs en place ou permettra de gagner de la hauteur pour exécuter le bouquet.